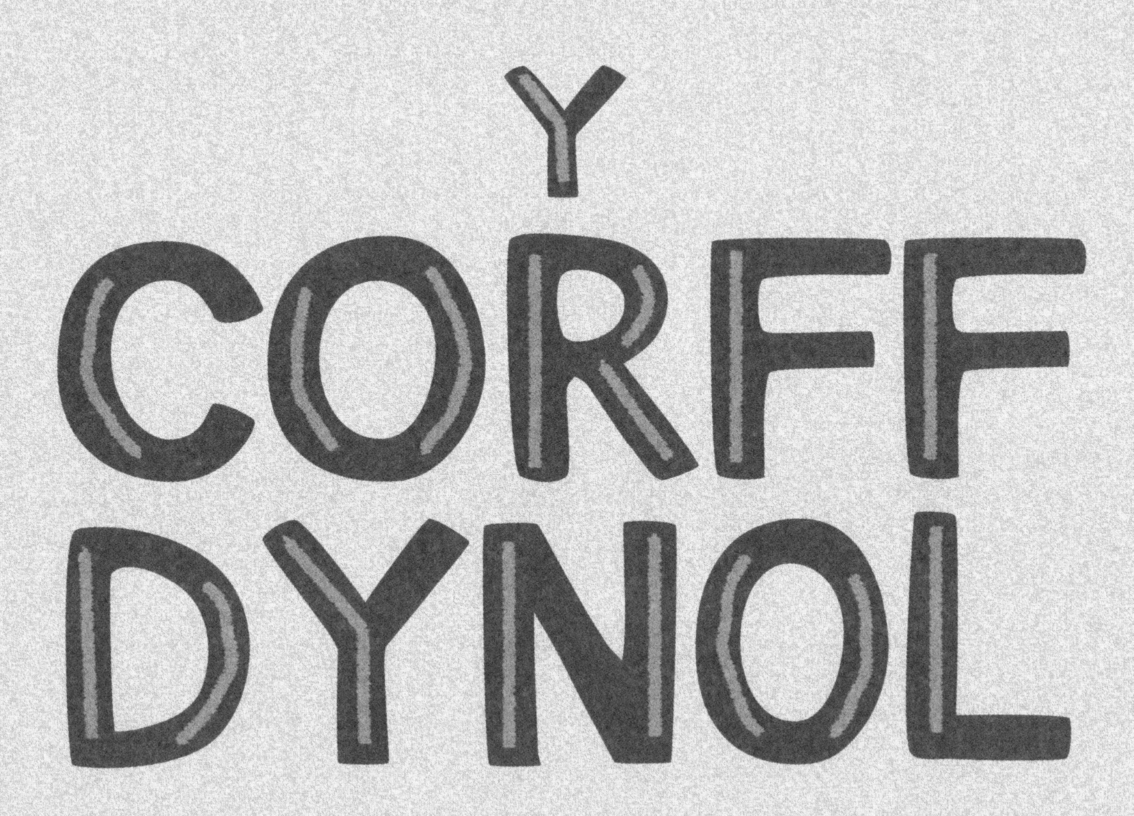

Carron Brown

Darluniau gan **Rachael Saunders**
Addasiad **Elin Meek**

Mae gan y corff dynol lawer o
rannau sy'n gweithio gyda'i gilydd
i helpu person i fyw ac i dyfu.

Os edrychi di'n fanwl ar
bobl yn bwyta, yn symud, yn anadlu,
yn siarad ac yn chwarae, fe weli di
eu cyrff nhw'n gweithio.

Goleua dortsh y tu ôl i'r dudalen,
neu dalia hi at y golau i weld y
tu mewn i'r corff dynol. Cei weld
byd cudd o ryfeddodau mawr.

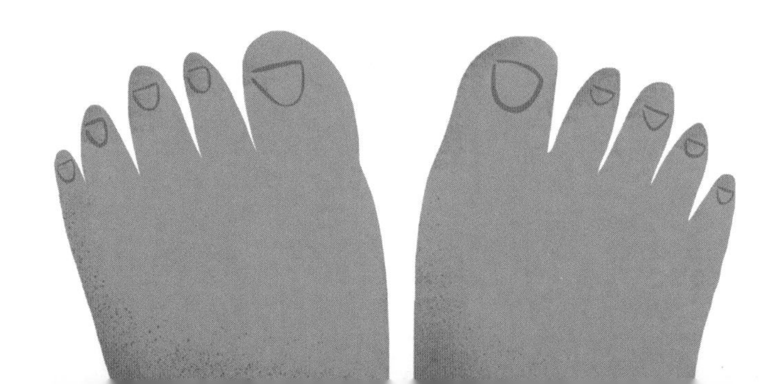

Mae person newydd
yn aros i gael ei eni.

Weli di e ... neu hi?

Aaaa!

Merch yw hi!

Mae'r babi'n tyfu ym mol ei mam. Mae hi'n aros yno am naw mis tan y bydd hi'n barod i gael ei geni.

Mae plentyn yn
tyfu'n araf bach,
nes y bydd e
neu hi'n dod
yn oedolyn.

Wyt ti'n gwybod
beth sy'n tyfu y tu
mewn i gyrff y plant
yma, o dan y croen?

Ymestyn!

Esgyrn! Mae dros 200 ohonyn nhw wedi'u cysylltu â'i gilydd mewn ffrâm o'r enw ysgerbwd. Mae'r ysgerbwd yn helpu'r corff i gadw'n gryf wrth iddo dyfu.

Mae'r ferch hon wedi rhedeg yn gyflym iawn i gyrraedd y bêl.

Beth sy'n gwneud i'w chorff symud?

Mae'r cyhyrau
sy'n sownd wrth
ei hysgerbwd yn
tynnu ar ei hesgyrn
i wneud iddi symud.

Gôl!

Mae croen dros y corff i gyd ac mae'n ein hamddiffyn.

Ar flaenau ein bysedd mae'r croen yn ffurfio patrymau arbennig. Weli di nhw ar law'r ferch hon?

Mae llinellau troellog dros flaenau'r bysedd i gyd. Olion bysedd yw enw'r patrymau hyn ar y croen. Mae olion bysedd pob person yn wahanol.

Wigl!

Daw aer i mewn
i'r corff drwy'r
trwyn a'r geg.

I ble mae'n mynd nesaf?

Mae'r aer yn cael ei dynnu i mewn i'r ysgyfaint.
Mae'r ocsigen yn yr aer yn cadw'r corff yn fyw.

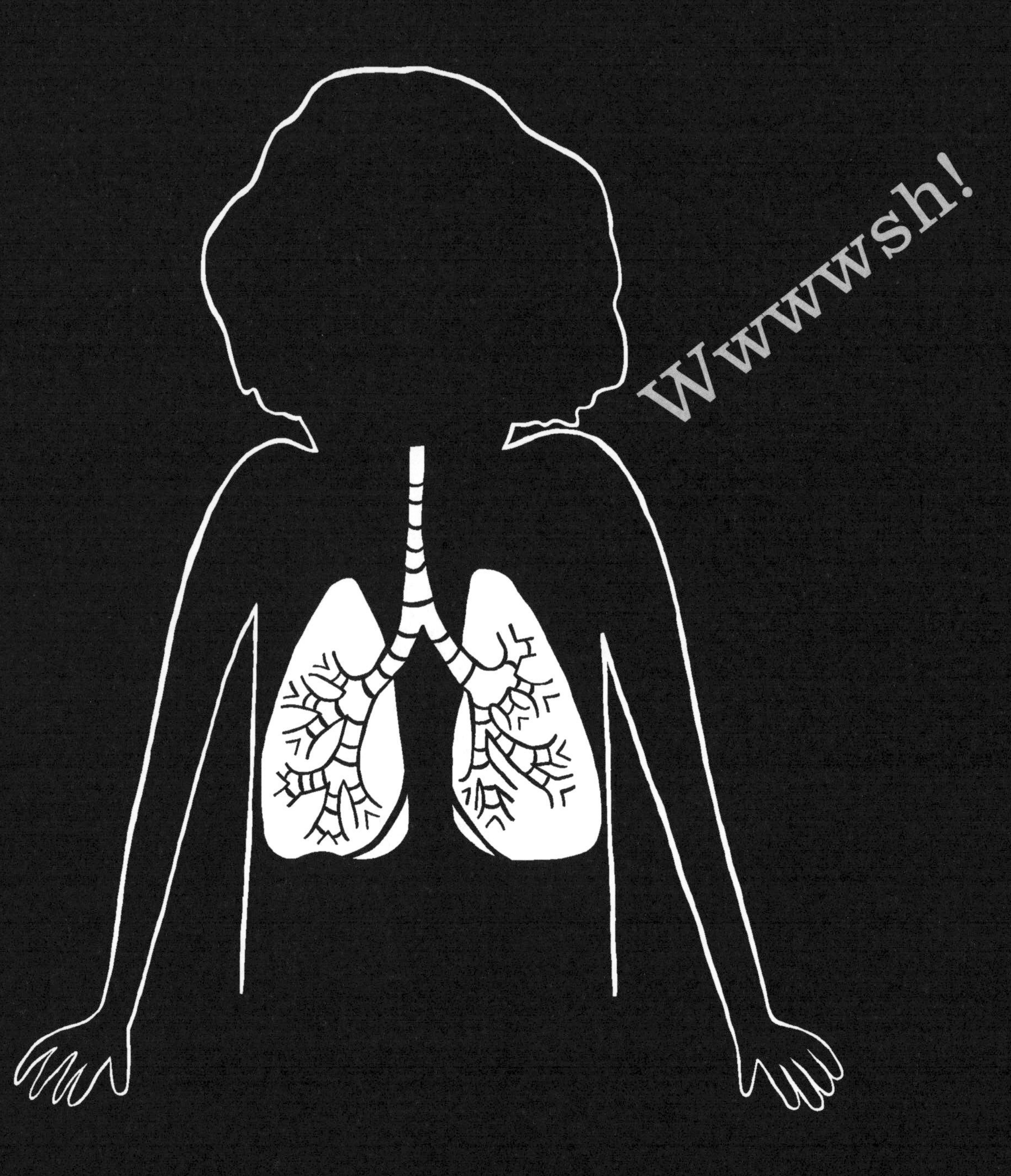

Mae aer yn symud o gwmpas y corff i gyd. Y gwaed sy'n ei gario.

Sut mae'r gwaed yn cael ei symud o gwmpas y corff?

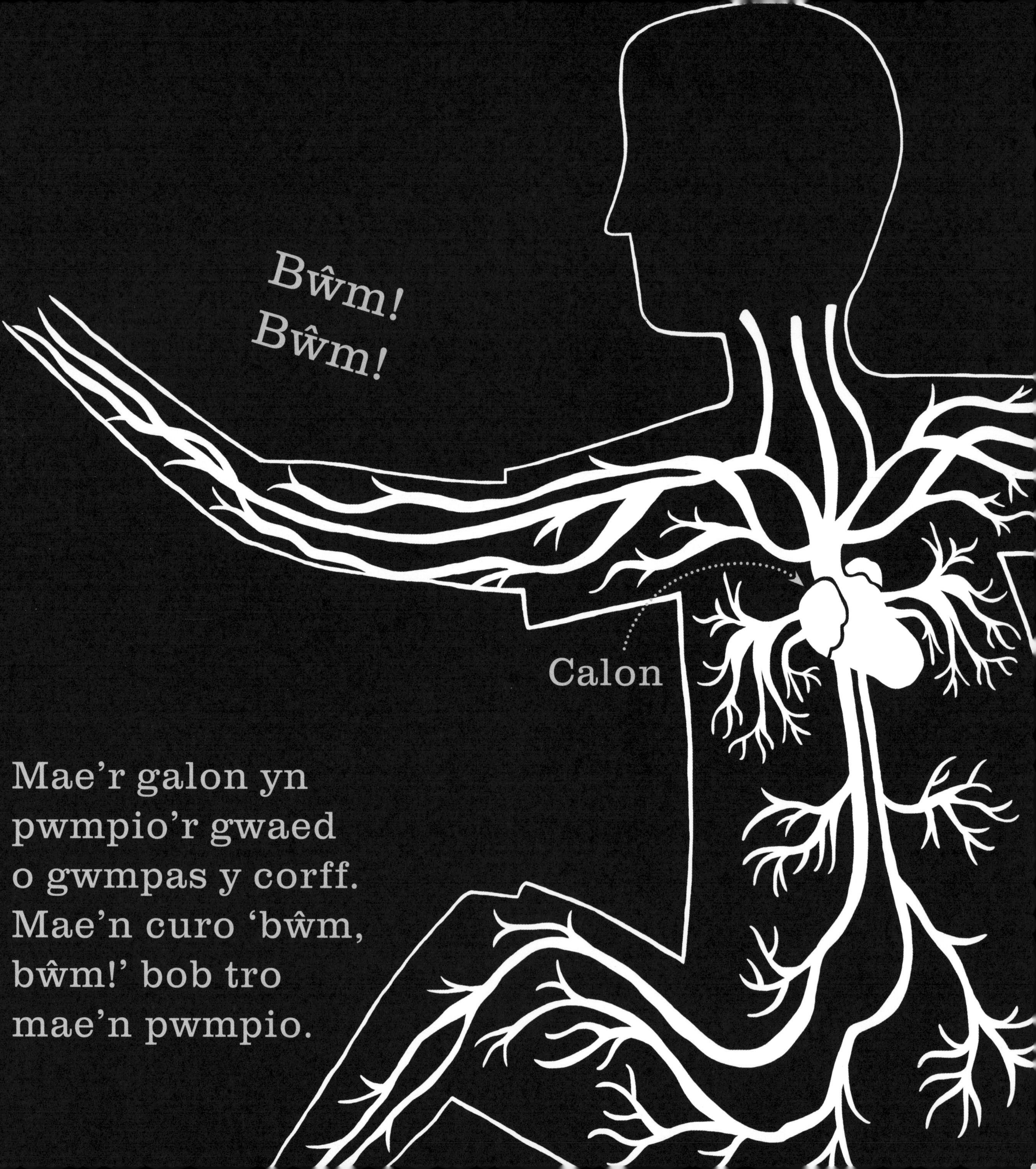

Bŵm!
Bŵm!

Calon

Mae'r galon yn
pwmpio'r gwaed
o gwmpas y corff.
Mae'n curo 'bŵm,
bŵm!' bob tro
mae'n pwmpio.

Mae blew'r gath hon
yn teimlo'n feddal. Mae'r
bachgen yn gwybod hyn
oherwydd bod synwyryddion
yn ei groen yn anfon negeseuon
i'w ymennydd am beth mae'n
ei gyffwrdd.

Ble mae ymennydd
y bachgen?

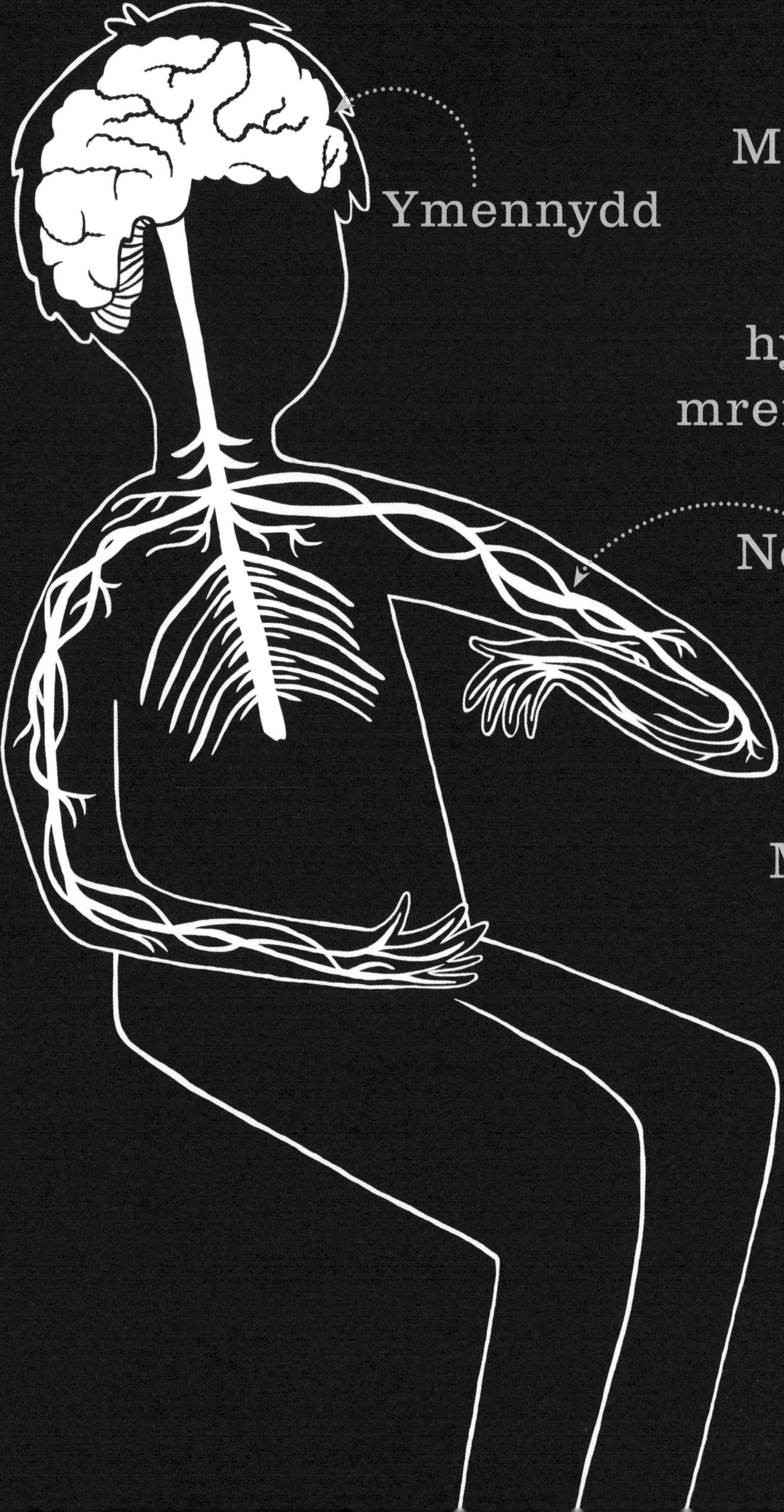

Ymennydd

Yn ei ben!
Mae'r negeseuon
yn gwibio i'r
ymennydd ar
hyd y nerfau ym
mreichiau'r bachgen.

Nerfau

Mae'r ymennydd
yn deall y
negeseuon
ac yn dweud
wrth y corff
beth i'w
wneud nesaf.

Mae gan y corff
bum synnwyr sy’n
dweud wrtho am y
byd o’i gwmpas. Dyma
nhw: gweld, clywed,
teimlo, arogli a blasu.

Pa synhwyrau
mae’r bachgen hwn
yn eu defnyddio?

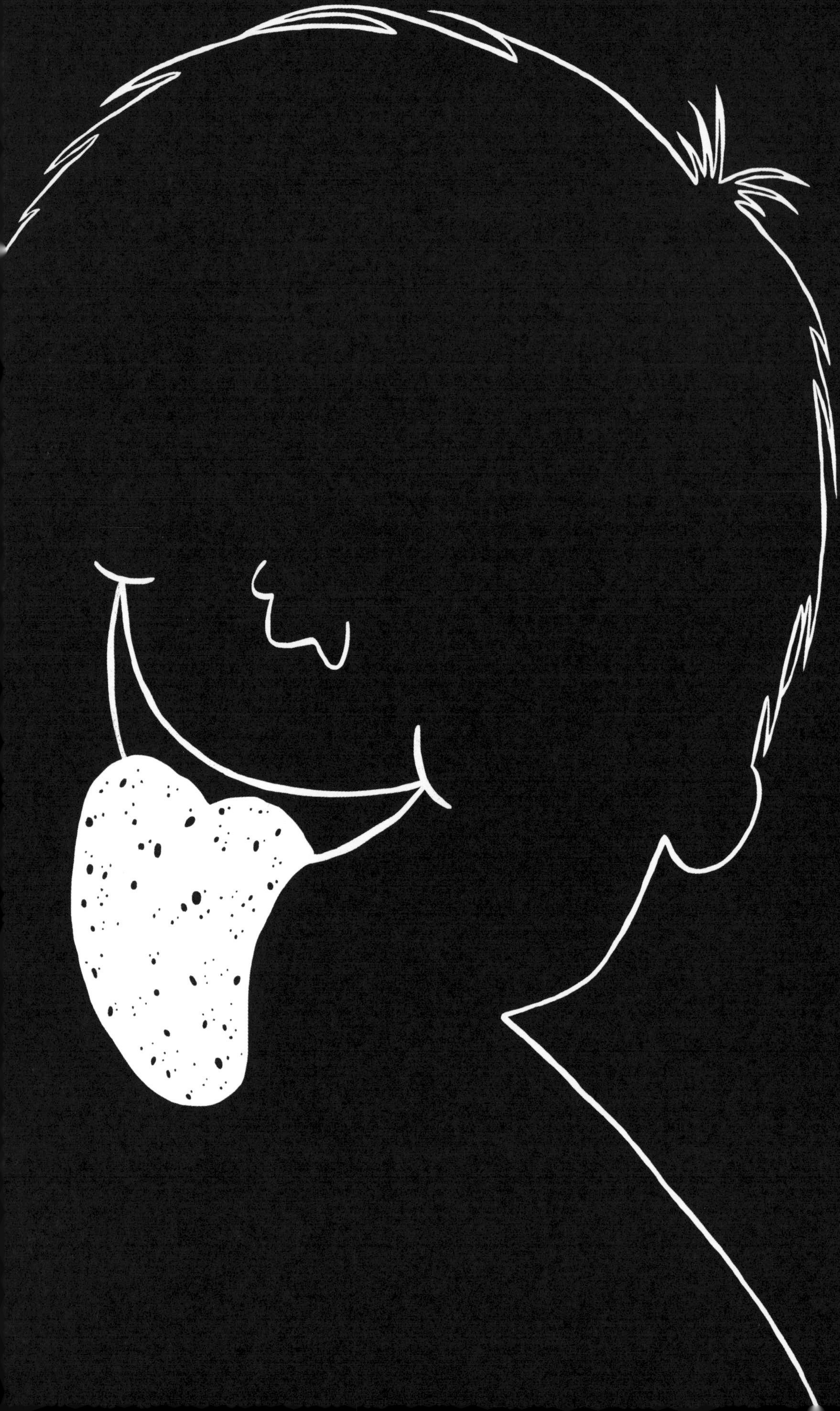

Iym!

Mae'n arogli ac
yn blasu. Mae ei
drwyn yn arogli'r
hufen iâ ac mae ei
dafod yn ei flasu.

Mae angen egni ar
y corff dynol prysur.
Daw'r egni hwn
wrth fwyta bwyd.

Beth sy'n digwydd
i'r bwyd ar ôl iddo
gael ei lyncu?

Mae'r bwyd yn teithio
i lawr tiwb i'r stumog.
Yna mae'n gwasgu drwy
diwbiau hir, troellog o'r
enw'r coluddion.

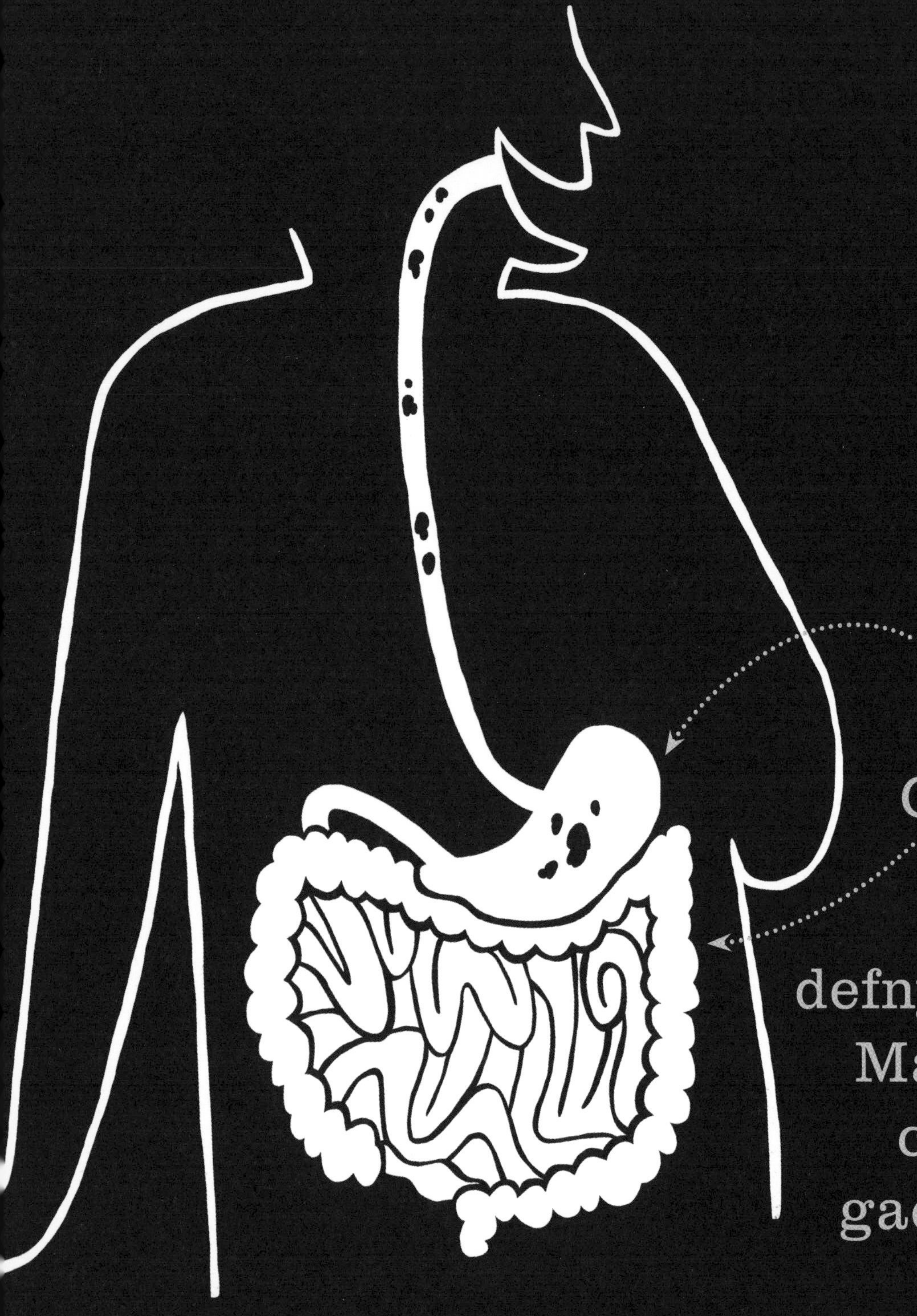

Stumog

Coluddion

Mae'r corff yn
defnyddio'r bwyd i gael egni.
Mae'r bwyd sy'n methu
cael ei ddefnyddio'n
gadael y corff fel pw-pw.

Mae bwyta
llawer o
fwydydd iach
yn helpu'r corff
i gadw'n iach.

Beth sydd yn
y fasged hon?

Llysiau, ffrwythau, pysgod,
caws a bara! Mae'r rhain
i gyd yn llawn maeth ac
yn cadw'r corff yn iach.

Crensh! Crensh!

Mae yfed digon o ddŵr yn helpu'r corff i gadw'n iach. Ond rhaid i'r corff gael gwared ar y dŵr nad yw ei angen.

Sut mae hyn yn digwydd?

Sblish!
Sblash!

Mae dwy aren yn y corff yn casglu'r dŵr nad yw'r corff ei angen ac yn ei droi'n bi-pi. Mae'r pi-pi'n llifo drwy diwbiau i fag sy'n ymestyn, o'r enw'r bledren.

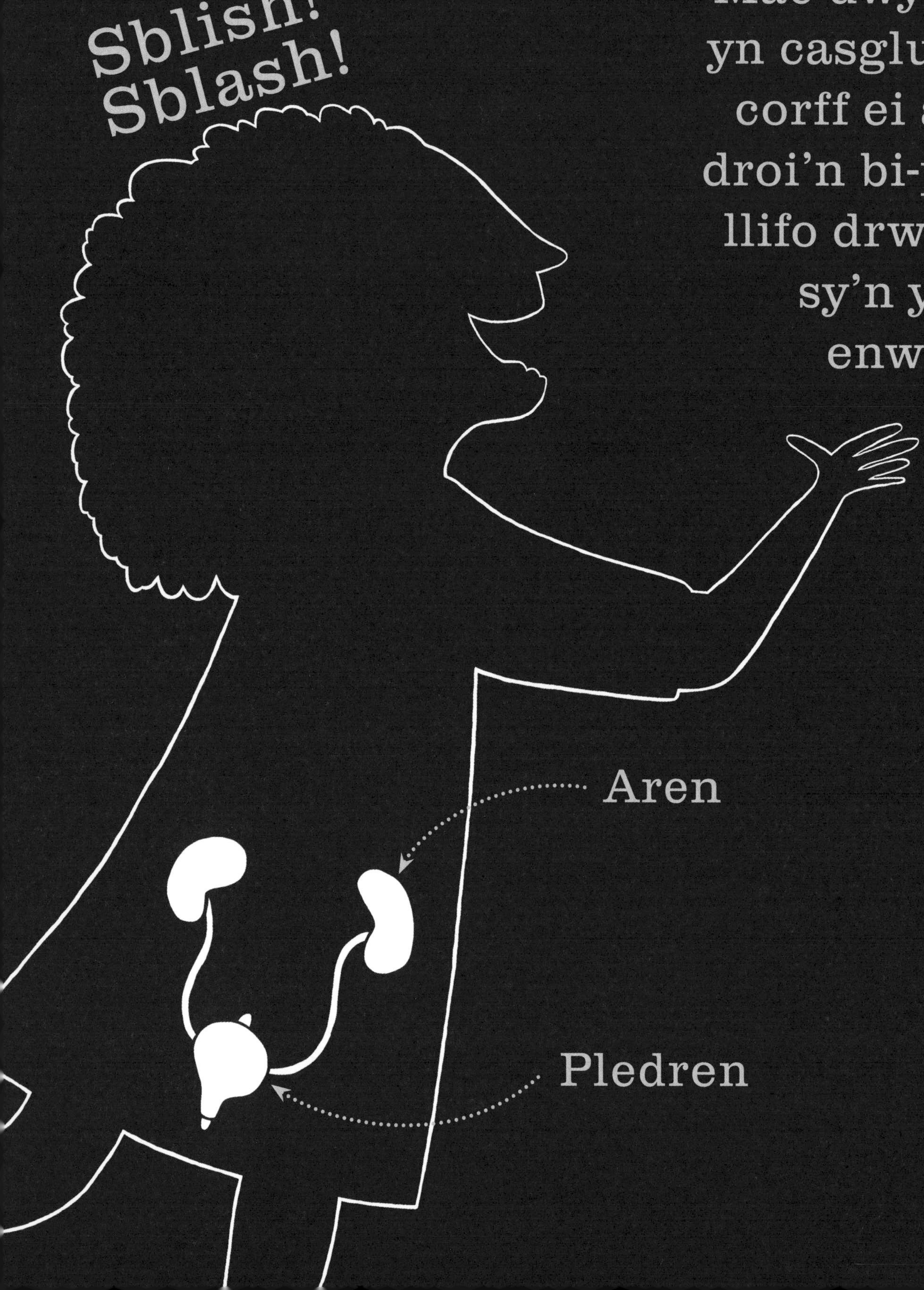

Pan fydd y bledren yn llawn, mae'r pi-pi'n barod i adael y corff.

Aren

Pledren

Mae bwyd yn gallu gludo
wrth ddannedd a'u difrodi nhw,
felly mae angen eu brwsio'n lân. Mae'r
deintydd yn edrych ar ddannedd y bachgen hwn.

Wyt ti'n gwybod beth sy'n tyfu yn y bwlch?

Dant newydd!

Dannedd sugno yw'r enw ar y dannedd cyntaf. Wrth i'r corff dyfu, mae pob dant sugno yn cael ei wthio o'i le gan ail ddant mwy. Mae gan bob ceg 20 dant sugno a 32 ail ddant.

Os bydd germau niweidiol yn mynd i mewn i'r corff, maen nhw'n gallu ein gwneud ni'n sâl. Gall y corff ymladd yn erbyn y rhan fwyaf o'r germau ar ei ben ei hun, ond weithiau mae angen help meddyg.

Mae'r meddyg hwn yn dal thermomedr. Beth fydd e'n ei ddangos?

Mae'r thermomedr yn dangos tymheredd y corff.

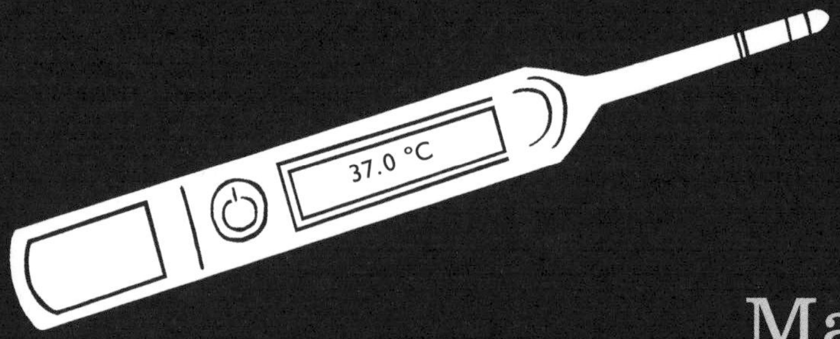

Mae rhif uwch na 37 yn dweud wrth y meddyg fod y corff yn ymladd yn galed i gael gwared ar y germau, ac y gall fod angen moddion.

Mae'r ferch hon yn yr ysbyty. Mae hi wedi cwympo a brifo ei braich. Defnyddiodd y meddyg beiriant pelydr X i dynnu llun o esgyrn ei braich.

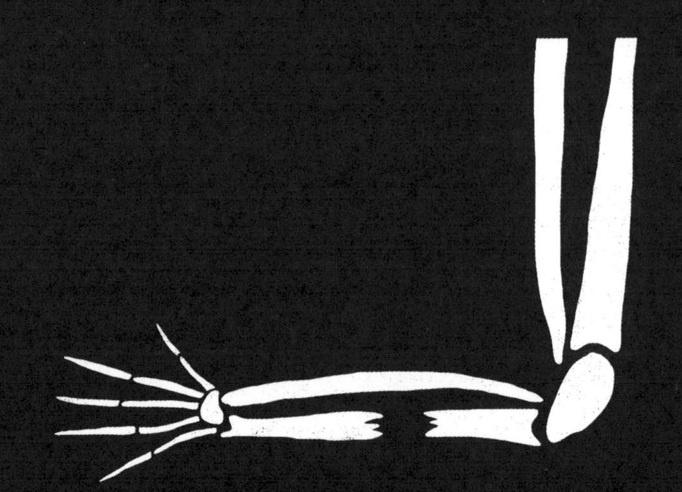

Awtsh!

Mae un asgwrn wedi'i dorri.
Bydd y meddyg yn rhoi plastr
caled am y fraich. Bydd hwn
yn dal y fraich yn ei lle nes
bydd yr asgwrn wedi gwella.

Mae angen gorffwys ar y corff. Pan fyddwn ni'n cysgu, dydy hi ddim yn edrych fel petai llawer yn digwydd, ond mae'r corff yn dal i fod yn brysur iawn.

Beth sy'n digwydd yn ymennydd y bachgen hwn?

... breuddwydion!

Mae breuddwydion yn
digwydd pan fydd yr
ymennydd yn rhoi pob math o
wahanol feddyliau at ei gilydd.

Mae'r corff dynol mor wych,
gall hyd yn oed greu brawd
neu chwaer newydd i ti!

Dyma ragor ...

Mae gan y corff lawer o wahanol bethau i'w gwneud. Darllena ragor am rai o rannau'r corff sydd yn y llyfr hwn.

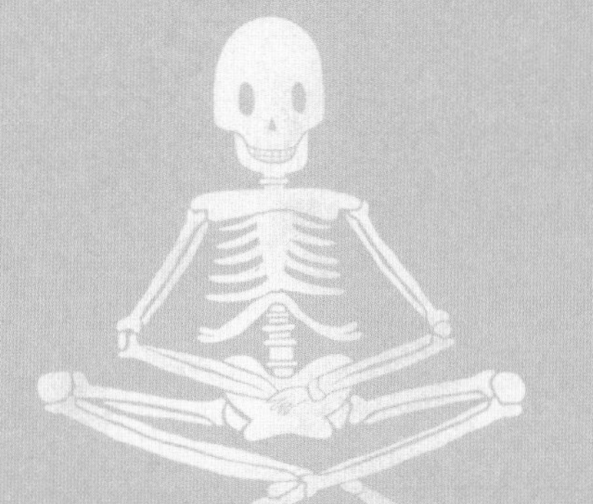

Ysgerbwd Dyma ffrâm o esgyrn sy'n rhoi siâp i gorff. Cymal yw'r enw ar y man lle mae'r esgyrn yn dod at ei gilydd er mwyn i'r corff fedru plygu – fel yn y pigwrn neu'r ffêr, y penelin a'r pen-glin.

Cyhyrau Mae cyhyrau'n ymestyn gan helpu'r corff i symud. Mae'r rhan fwyaf o'r cyhyrau'n sownd wrth yr ysgerbwd ac yn gweithio mewn parau i'w symud. Wrth i un cyhyr wthio, mae'r llall yn tynnu.

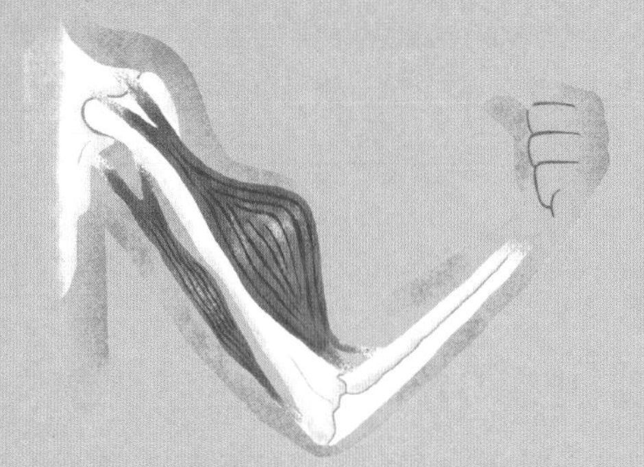

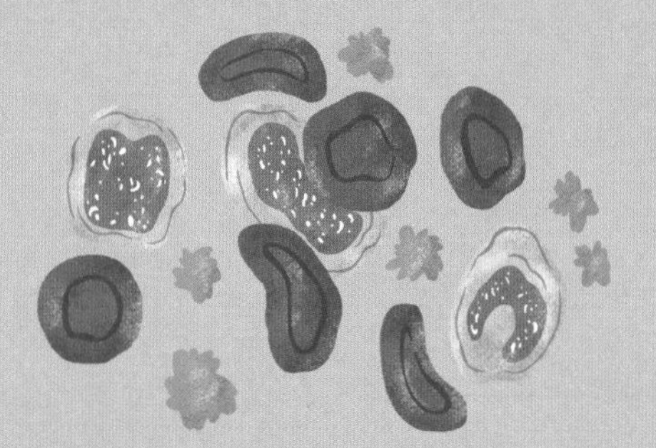

Gwaed Dyma hylif sy'n llawn celloedd pitw bach. Mae'r celloedd coch yn cario ocsigen a'r celloedd gwyn yn lladd germau.

Ysgyfaint Mae aer sy'n cynnwys nwy o'r enw ocsigen yn cael ei anadlu i mewn ac yn llenwi'r ysgyfaint fel balwnau. Mae gwaed sy'n llifo drwy'r ysgyfaint yn casglu'r ocsigen. Wrth i aer gwastraff gael ei anadlu allan, mae'r ysgyfaint yn mynd yn llai.

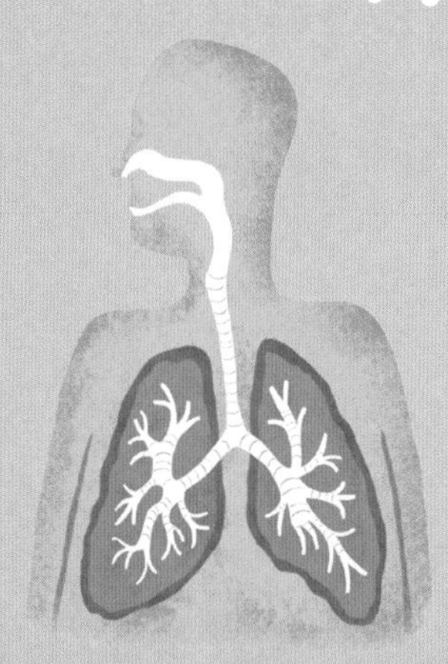

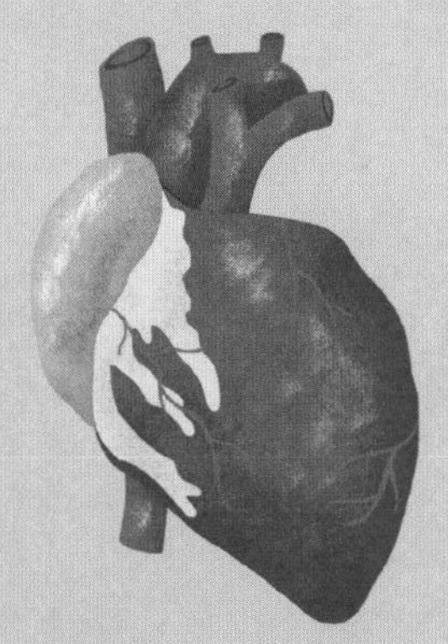

Calon Cyhyr yw'r galon sy'n curo drwy'r amser er mwyn pwmpio gwaed o gwmpas y corff. Mae'r gwaed yn llifo drwy diwbiau o'r enw rhydwelïau a gwythiennau.

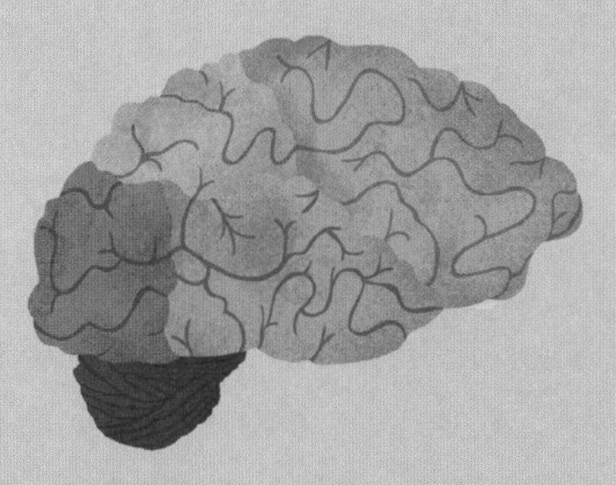

Ymennydd Daw meddyliau a theimladau o'r ymennydd. Mae'n rheoli'r cyhyrau, a rhai pethau fel anadlu a churiad y galon, sy'n digwydd heb i ni orfod meddwl amdanyn nhw.

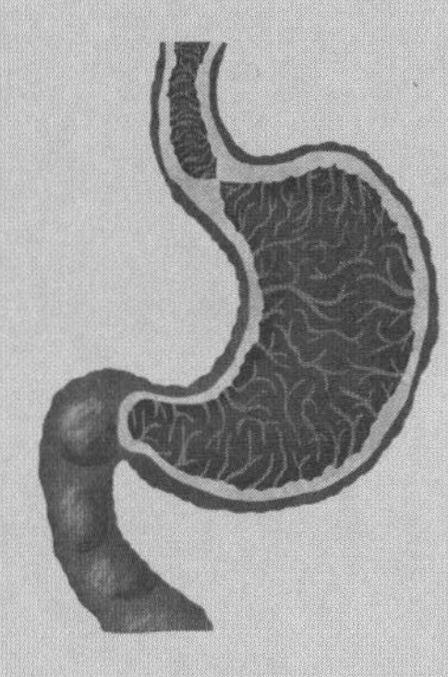

Stumog Mae'r stumog fel bag sy'n ymestyn wrth i fwyd sydd wedi'i lyncu fynd i mewn iddi. Mae cyhyrau yn y stumog yn troi'r bwyd yn stwnsh.

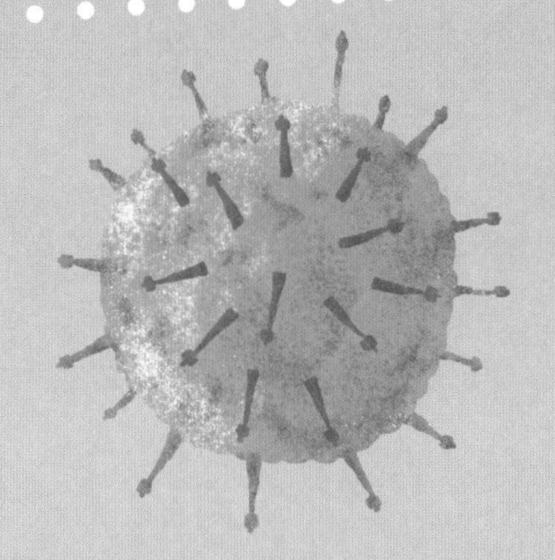

Germau Bacteria a firysau pitw bach sy'n gallu ein gwneud ni'n sâl yw germau. Weithiau, mae angen moddion i helpu'r corff i ymladd y germau.

Cyhoeddwyd gan Rily Publications Ltd 2017
Rily Publications Ltd, Blwch Post 257, Caerffili CF83 9FL

Addasiad gan Elin Meek

Y CORFF DYNOL
ISBN 978-1-84967-364-8

Cyhoeddwyd yn wreiddiol yn Saesneg yn 2016
dan y teitl *The Human Body* gan Ivy Kids.

Argraffwyd yn China

www.rily.co.uk